Cuán Clúmhach
agus Scéal an Damhna

Janet Slingerland a scríobh • Angel Mosquito a mhaisigh

Comhairleoir: Joanne K. Olson, PhD
Ollamh Comhlach, Oideachas Eolaíochta
Ollscoil Stát Iowa,
Ames, Iowa

G An Gúm

An leagan Gaeilge © Foras na Gaeilge, 2013

Capstone Press a chéadfhoilsigh in 2012 faoin teideal *Werewolves and States of Matter*

Fidelma Ní Ghallchobhair a rinne an leagan Gaeilge

Dearadh agus Leagan Amach: Nathan Gassman & Ashlee Suker

Speisialtóir Táirgthe: Eric Manske

Arna chlóbhualadh sa tSín

ISBN 978-1-85791-833-5

Le fáil ar an bpost uathu seo:

An Siopa Leabhar,   *nó*   An Ceathrú Póilí,
6 Sráid Fhearchair,   Cultúrlann Mac Adam-Ó Fiaich,
Baile Átha Cliath 2.   216 Bóthar na bhFál,
siopa@cnag.ie   Béal Feirste BT12 6AH.
                             leabhair@an4poili.com

Orduithe ó leabhardhíoltóirí chuig:

Áis,
31 Sráid na bhFíníní,
Baile Átha Cliath 2.
ais@forasnagaeilge.ie

An Gúm, 24-27 Sráid Fhreidric Thuaidh, Baile Átha Cliath 1.

Clár

Tá Damhna le Fáil Gach Áit

Tá damhna le fáil gach áit - san uisce, san aer, ar an ngealach féin ...

ARRRRÚ!

... agus i gCuán freisin! Rud ar bith a ghlacann spás agus a bhfuil **mais** ann, is damhna é.

mais — an méid ábhair atá i rud

Coiníní Blasta:
Béile Sciobtha
Oideas

Mais: 100kg
Meáchan: 220 kg

Bíonn mais Chuáin mar an gcéanna, is cuma cá bhfuil sé. Ach ní bhíonn a mheáchan mar an gcéanna. **Imtharraingt** is cúis leis sin. Is láidre imtharraingt an domhain ná imtharraingt na gealaí. Is mó meáchan Chuáin ar an domhan, mar sin, ná a mheáchan ar an ngealach.

Mais: 100kg
Meáchan: 36.5 kg

imtharraingt — fórsa a tharraingíonn rudaí i dtreo a chéile

Toirt

An méid spáis a ghlacann rud, sin a thoirt. Ina lítir a dhéantar toirt leachta a thomhas de ghnáth. Ina ceintiméadair chiúbacha a dhéantar toirt solaid a thomhas de ghnáth.

5

Bealach amháin le staidéar a dhéanamh ar dhamhna ná breathnú ar a chuid airíonna – a airde agus a mheáchan, mar shampla.

Léiríonn airíonna eile an chuma atá ar dhamhna agus an chaoi a mothaíonn sé. Mín réidh a mhothaíonn spadal teanga, mar shampla.

ABAIR ÁÁÁÁ!

Is crua casúirín an dochtúra.

TOC

Is minic gur fuar a otascóp.

ÚÚÚÚ!

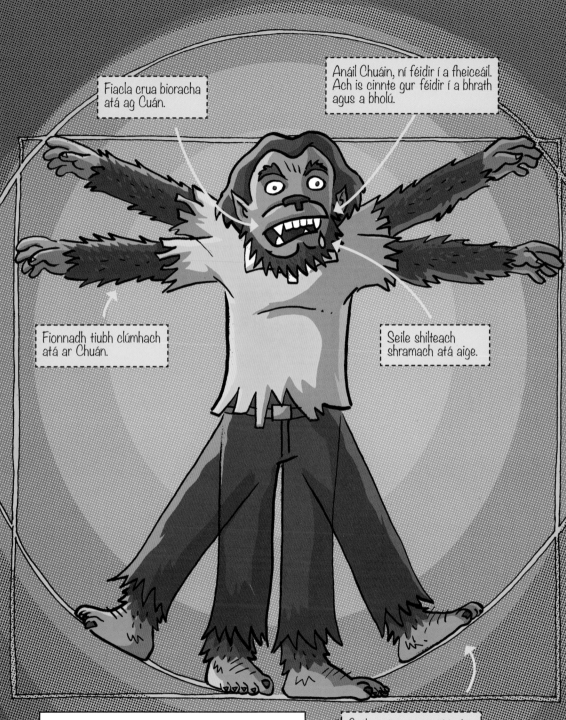

Staideanna Damhna

Bealach eile le staidéar a dhéanamh ar dhamhna ná breathnú ar a staid. Soladach, leachtach nó gásach a bhíonn beagnach gach damhna ar domhan. Tá gach ceann de na trí staid seo le fáil i gCuán.

A THIARCAIS!

staid — an fhoirm ina bhfuil substaint

Rud soladach is ea fiacail. Is deacair a cruth a athrú. Ní athraíonn a toirt.

Leacht is ea seile. Gabhann sí cruth an ghabhdáin ina gcuirtear í. Ní athraíonn a toirt mura ndéanann Cuán tuilleadh seile a chaitheamh.

SEILE, CAD EILE!

Gás is ea anáil. Ní choinníonn gás a chruth ach laistigh de ghabhdán. Ach is féidir lena thoirt athrú, fiú laistigh de ghabhdán.

Sreabháin is ea leachtanna agus gáis. Substaintí iad na sreabháin ar féidir leo sreabhadh. Féach an tseile ag sreabhadh as an gcupán agus an anáil ag sreabhadh as an lámhainn rubair.

Plasma a thugtar ar an gceathrú staid den damhna. As plasma atá na réaltaí déanta – an ghrian, mar shampla. Is í seo an staid i coitianta den damhna sa chruinne. Is gás ardluchtaithe é an plasma. Nuair a lastar bolgá fluaraiseach, athraíonn an gás istigh ann ina phlasma.

Ní fhanann damhna sa staid chéanna i gcónaí. Athraíonn damhna ó staid amháin go staid eile ag brath ar an teocht agus ar an mbrú.

Tugtar an reophointe ar an teocht ag a reonn leacht. Athraíonn uisce ina oighear má bhíonn a theocht ag an reophointe.

AN ONCHÚ É SIN?

Nuair a théitear an **onchú**, athraíonn an t-oighear a bhí air ar ais ina leacht. Tugtar leáphointe ar an teocht ag a leánn solad. Is ionann leáphointe substainte agus a reophointe.

GO-GO-RAIBH-MAITH AGAIBH!

10

Galaíonn an t-uisce fuar atá ar Chuán bocht báite.

Galaíonn uisce níos sciobtha nuair a théitear é. Galaíonn sé níos sciobtha fós nuair a shroicheann sé a fhiuchphointe.

galú — leacht á athrú ina ghás

Nuair a theagmhaíonn gal uisce le rud fuar (díon pluaise, mar shampla) fuaraíonn agus **comhdhlúthaíonn** sí. Seachain, a Chuáin, an éireofá fliuch!

FLIUCH DO BHÉAL!

comhdhlúthú — gás á athrú ina leacht

11

Móilíní agus Adaimh

As cáithníní bídeacha - **móilíní** - atá an damhna déanta. Tá móilíní chomh beag sin nach féidir leis an tsúil iad a fheiceáil, fiú le micreascóp. Tá na billiúin móilín i mbraon amháin uisce.

NÍ CÓTA BÁISTÍ É SEO!

móilín — an cáithnín is lú de shubstaint

ADAMH

As **adaimh** atá na móilíní féin déanta. Is iad na hadaimh an chuid is lú ar fad den damhna.

H_2O an t-ainm ceimiceach atá ar uisce. Tagann an t-ainm sin ó na hadaimh atá i móilín uisce. Bíonn dhá adamh hidrigine agus adamh amháin ocsaigine i ngach móilín uisce. Is iad na móilíní uisce ceannann céanna atá in uisce, oighear agus gal uisce.

H_2O, AR NDÓIGH!

Baineann **dlús** éagsúil le substaintí éagsúla. Tá dlús an héiliam níos lú ná dlús na hocsaigine, mar shampla.

dlús — méid na maise i substaint bunaithe ar a toirt

HÉILIAM

OCSAIGÍN

Snámhann balún héiliam san aer mar go bhfuil a dhlús níos lú ná dlús an aeir. Féach an balún ocsaigine, áfach. Is mó a dhlús ná dlús an aeir!

13

Is iad na móilíní céanna atá i substaint, is cuma an ina solad, ina leacht nó ina gás atá sí. Ach ní hionann iompar na móilíní sin sna staideanna éagsúla.

Bíonn ord agus eagar ar na móilíní i solad agus iad pacáilte go dlúth le chéile. Fanann gach móilín ina áit féin, gan ach lúbarnaíl bheag ar bun ag gach móilín faoi leith.

STAID SHOLADACH

Cé go bhfanann siad gar dá chéile, ní bhíonn ord ná eagar ar na móilíní i leacht. Bíonn siad de shíor ag lúbarnaíl agus iad ag bogadh thart ó áit go háit.

STAID LEACHTACH

Ní fhanann na móilíní gáis gar dá chéile ar chor ar bith. Gluaiseann siad thart go han-sciobtha i ngach uile threo. Buaileann siad in aghaidh a chéile, go fiú.

STAID GHÁSACH

15

Téann teas i bhfeidhm ar an gcaoi a mbogann móilíní, freisin. Agus iad ag teocht an tseomra, gluaiseann na móilíní aeir i gcispheil thart go breá sciobtha. Preabann an chispheil mar ba cheart.

Agus iad ag teocht níos fuaire, áfach, gluaiseann na móilíní aeir sa chispheil níos moille agus fanann siad níos gaire dá chéile. Ní phreabann an chispheil chomh maith céanna.

RÓ-FH-FHUAR!

OCH!

OCH!

Má éiríonn an chispheil te, bogann na móilíní aeir inti an-sciobtha ar fad agus méadaíonn toirt an aeir. Má thagann méadú rómhór ar thoirt an aeir, pléascann an chispheil.

OCH!

Méadaíonn toirt na solad freisin nuair a éiríonn siad te. Ach is minic nach bhfeicimid an méadú. Bíonn an chuma chéanna ar charraig the agus ar charraig fhuar de ghnáth. Seachain, mar sin!

ABABÚ!

Carraigeacha á leá

Nuair a ardaíonn an teocht i solad méadaíonn ar lúbarnaíl na móilíní. Má shroicheann an teocht leáphointe an tsolaid fágann na móilíní sa solad a n-áit féin agus leánn an solad ina leacht. Carraig leáite is ea an laibhe a thagann as bolcán.

IS FEARR RITH MAITH!

Meascáin

Déantar meascán as cineálacha éagsúla damhna. Meascán atá sa stobhach coinín seo ag Cuán, mar shampla. Ní thagann aon athrú ar airíonna fisiceacha gach substaint faoi leith i meascán.

Is féidir gach píosa i meascán a aithint ar a chuid airíonna fisiceacha. Tig leat na leachtanna i meascán a dhealú ó na solaid le síothlán. Is féidir na cairéid agus na prátaí a aithint óna chéile de bhrí go bhfuil dath éagsúil orthu.

BÍONN BLAS AR AN MBEAGÁN!

DÁIRÍRE?

Is féidir meascán a dhéanamh as leachtanna chomh maith. Puins de shúnna torthaí, mar shampla, sin an deoch is ansa le Cuán.

Meascán de leacht agus de ghás is ea uisce sóide. Cuireann an gás, dé-ocsaíd charbóin, an ghiosáil san uisce.

Meascán de leachtanna agus de sholaid is ea stobhach coinín. Measctar feoil, glasraí, súlaigh agus uisce chun stobhach a dhéanamh.

19

Tuaslagán a thugtar ar mheascán ina bhfuil substaint **intuaslagtha**. Is minic nach féidir an tsubstaint thuaslagtha a fheiceáil.

Tuaslagán is ea siúcra in uisce. Ní féidir an siúcra a fheiceáil ach is féidir é a bhlaiseadh.

substaint intuaslagtha — substaint ar féidir í a thuaslagadh

Déantar meascáin áirithe, ar nós tae, le píosaí **dothuaslagtha**. Snámhann na comhábhair nach bhfuil dlúth go barr. Titeann na comhábhair atá sách dlúth go bun.

NÍ TÚISCE DEOCH NÁ SCÉAL!

substaint dhothuaslagtha — substaint nach féidir í a thuaslagadh

Déantar **fuaidreán** nuair a mheasctar píosaí beaga dothuaslagtha in uisce – duilleoga tae, mar shampla. Diaidh ar ndiaidh scarann na coda dothuaslagtha leis an uisce agus titeann siad go bun.

MARBH LE TAE ...

fuaidreán — substaint ina bhfuil go leor cáithníní ar crochadh

Is féidir síothlán a úsáid chun na coda dothuaslagtha a bhaint as fuaidreán. I gcás an tae fanann na duilleoga sa síothlán ach imíonn an t-uisce tríd.

... AGUS MARBH GAN É!

21

Substaintí intuaslagtha, tuaslagann siad go hiomlán – salann nó siúcra in uisce, mar shampla. Ach seachain an salann sa tae!

Siúcra

Salann

Tuaslagann criostail bheaga siúcra go sciobtha in uisce te agus go mall in uisce fuar.

Ach tuaslagfaidh siad níos sciobtha fós má chorraítear an t-uisce go tapa.

Nuair nach féidir a thuilleadh siúcra a thuaslagadh sa tae, tá a **phointe sáithiúcháin** sroichte aige.

NEAM! NEAM!

pointe sáithiúcháin — an pointe nuair nach féidir le substaint a thuilleadh de shubstaint eile a shú isteach

Má fhágtar an tae tamaillín gan chlúdach, galóidh an t-uisce agus fanfaidh an siúcra sa chupán. Greim blasta ag Cuán!

Athruithe In-aisiompaithe agus Do-aisiompaithe

FEISTEAS FÓNTA!

Athrú in-aisiompaithe sa damhna, is féidir é a athrú ar ais. Má chuireann Cuán feisteas air féin is féidir leis é a bhaint. Athrú in-aisiompaithe é sin. Athrú in-aisiompaithe is ea athrú staide freisin.

Nuair a reonn sé, athraíonn uisce ina oighear. Is féidir oighear a athrú ar ais ina uisce. Athrú in-aisiompaithe eile.

Athruithe eile, ní féidir iad a athrú ar ais – taos leachtach císte, mar shampla, nuair a dhéantar é a bhácáil.

Athruithe ceimiceacha sna móilíní féin a bhíonn sna hathruithe do-aisiompaithe.

Císte soladach a thagann as an oighean. Ach ní féidir an císte a leá agus taos a dhéanamh de arís.

Tá athrú do-aisiompaithe tagtha ar chomhdhéanamh ceimiceach an taois. Ní hionann na móilíní atá sa chíste agus na móilíní a bhí sa taos. Agus is blasta go mór an císte!

25

Mórán substaintí, tagann athruithe in-aisiompaithe agus do-aisiompaithe araon orthu.

FAN SOCAIR!

Cré, mar shampla, is féidir í a mhúnlú ina cruthanna éagsúla nuair a bhíonn sí bog tais. Athruithe in-aisiompaithe iad seo.

Ach ní féidir cruth na cré a athrú níos mó nuair a bhíonn sí bácáilte. Tá athrú do-aisiompaithe tagtha uirthi agus na móilíní inti athraithe.

Cé go bhfuil an chuma chéanna fós uirthi anois tá sí crua, seachas bog tais mar a bhí.

NÍ MISE AN MISE SIN!

Tá damhna den uile chineál mórthimpeall orainn. Damhna soladach atá i gciúb oighir. Damhna leachtach atá san uisce. Damhna gásach atá san aer. Damhna de chineálacha éagsúla atá i do chorp freisin!

Bíonn an damhna ag síorathrú ó staid amháin go staid eile – ciúbanna oighir ag athrú ina n-uisce, mar shampla; uisce ag athrú ina ghás nuair a théitear é; gal ag athrú ar ais ina huisce nuair a fhuaraítear í.

Bíonn roinnt athruithe ar dhamhna do-aisiompaithe. Má dhóitear píosa páipéir déantar deatach, luaith agus gáis as. Ní féidir é a athrú ar ais ina pháipéar.

Athruithe eile ar dhamhna, tá siad in-aisiompaithe. Déantar buachaill de Chuán, mar shampla, le héirí na gréine.

Is onchú é Cuán i gcónaí, áfach. Agus nuair a bheidh an ghealach lán, beidh Cuán ina chú ceart arís.

AILILIÚ! BHÍ TOCHAS IONAM!

Gluais

comhdhlúthú — gás á athrú ina leacht

damhna — rud ar bith a bhfuil mais ann agus a ghlacann spás
dlús — méid na maise i substaint bunaithe ar a toirt

fuaidreán — substaint ina bhfuil go leor cáithníní ar crochadh

galú — leacht á athrú ina ghás

imtharraingt — fórsa a tharraingíonn rudaí i dtreo a chéile

mais — an méid ábhair atá i rud
móilín — an cáithnín is lú de shubstaint

onchú — neach miotasach a iompaíonn ina mhac tíre nuair a bhíonn an ghealach lán

plasma — an staid is coitianta damhna sa chruinne
pointe sáithiúcháin — an pointe nuair nach féidir le substaint a thuilleadh
de shubstaint eile a shú isteach

staid — an fhoirm ina bhfuil substaint, m.sh. soladach, leachtach, nó gásach
substaint dhothuaslagtha — substaint nach féidir í a thuaslagadh
substaint intuaslagtha — substaint ar féidir í a thuaslagadh

toirt — an méid spáis a ghlacann rud
tuaslagadh — nuair a leánn substaint i substaint eile
tuaslagán — meascán ina bhfuil substaint intuaslagtha

Innéacs